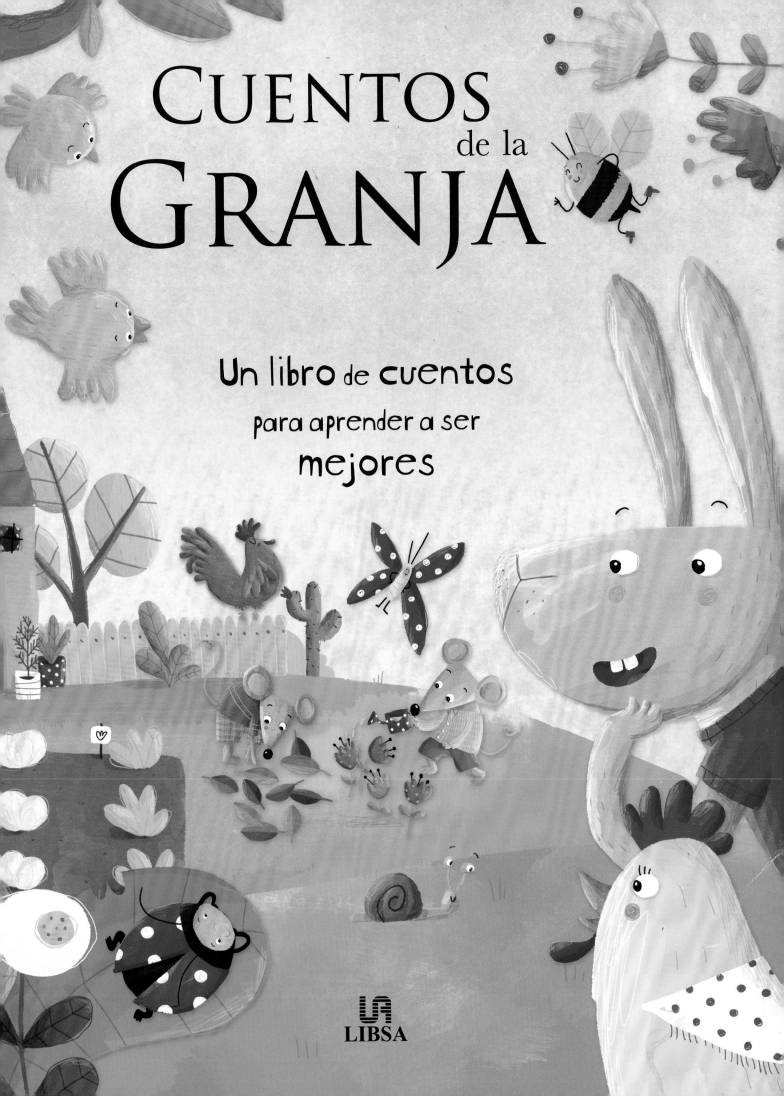

CUENTOS
de la
GRANJA

Un libro de cuentos

para aprender a ser

mejores

LIBSA

© 2016, Editorial LIBSA
C/ San Rafael, 4
28108 Alcobendas (Madrid)
Tel.: (34) 91 657 25 80
Fax: (34) 91 657 25 83
e-mail: libsa@libsa.es
www.libsa.es

Textos: María Mañeru
Colaboración en ilustraciones: Susana Hoslet Barrios
Edición y maquetación: Equipo editorial LIBSA

ISBN: 978-84-662-2963-0

Contenido

El gallo Quiquiriquí

Madrugar es una buena costumbre, pero siempre debes respetar el sueño y el descanso de los demás: ¡no les despiertes!

Quiquiriquí era un gallo la mar de apuesto. Se colocaba sobre el tejado del gallinero con su porte señorial, se estiraba bien, con su cresta roja muy alta y sus plumas de colores al viento y, cuando aún no había aparecido el primer rayo de sol, cantaba con fuerza:

—¡Quiquiriquííííííí!

Lo malo era que a esa hora tan temprana el resto de la granja estaba durmiendo plácidamente y, de pronto, el canto de Quiquiriquí les despertaba a todos.

—¿Qué ocurre? ¿Qué pasa? –se preguntaba confusa la oca.

—¿Qué estruendo es este? –gruñía la cabra.

—¡Silencio! –exclamaba la vaca indignada.

¡QUiquiriquíííííííí!

Día tras día, el malestar iba creciendo en la granja por culpa de aquel gallo maleducado que no dejaba descansar a nadie, así que por fin, los animales se reunieron en un gabinete de crisis para tratar de encontrar una solución.

—Podríamos echarle del corral –propuso una gallina enojada.

—… o ponerle un bozal –dijo el burro.

—Lo que haremos –dijo el astuto ratón– será pagarle con su misma moneda.

Al día siguiente, Quiquiriquí cantó como siempre despertando a **tooooda** la granja antes de tiempo. Pero cuando quiso echarse una siestecita a media mañana, los demás animales empezaron a cantar a gritos:

—¡¡¡**Quiquiriquíííííí**, todos despiertos **aquíííííí**!!!

Así comprendió Quiquiriquí que la hora de dormir de los demás es tan sagrada como la de uno mismo y a partir de entonces esperó a que hubiera amanecido para cantar.

Un burrito de carreras

Los verdaderos amigos son los que te dicen siempre la verdad, ¡aunque a veces no sea agradable escucharla!

Paco era un burrito de ojos dulces y patas fuertes que cada mañana ayudaba al granjero a cargar con los aparejos y le acompañaba al trabajo. Todos admiraban la labor del burrito Paco, que podía ir con el amo al pueblo y salía con él al campo, y que los domingos llevaba también a los pequeños hijos del granjero a la feria.

Pero un día, llegó a la granja un hermoso caballo de pelo brillante y carácter brioso, para el que el amo construyó una cerca especial.

Todos los días, el caballo se ejercitaba corriendo y saltando con tal elegancia, que el resto de los animales de la granja no salía de su asombro, así que ya no se hablaba de otra cosa que no fuera de la fuerza y la velocidad del caballo.

—¿Crees que si me entreno podré ser un caballo de carreras como tú? –le preguntó el burrito Paco al caballo.

—¡Oh, seguro que puedes conseguirlo! –le contestó el caballo sin prestarle mucha atención.

Entonces el burrito, tratando de imitar al ágil caballo, intentó saltar una valla muy alta con tan mala fortuna que tropezó y se hizo daño en una pata. Por suerte, el amo le curó y le dejó reposar, llevándole la comida y atendiéndole hasta que se recuperó.

—No te quiero como burrito de carreras –le susurró al oído el granjero cuando pudo volver a trabajar–, sino como fiel compañero en el campo.

El grano de trigo

Los perezosos que siempre encuentran una excusa para no trabajar no se merecen compartir el premio al esfuerzo.

El pollito Rafael se encontró un día un grano de trigo bien gordito y amarillo, así que se lo llevó a los otros pollitos para enseñárselo.

—Es muy bonito –le dijeron sus compañeros–, pero, ¿qué vas a hacer con él?

—Podríamos plantarlo –propuso Rafael.

Pero los demás pollitos estaban muy cómodos sentados en el gallinero y no le quisieron acompañar, así que Rafael salió solo al campo, cavó un buen hoyo, depositó su granito de trigo, lo tapó de nuevo con tierra y regresó a la granja. Al día siguiente, dijo a sus amigos:

—¿Quién quiere acompañarme a regar mi grano de trigo?

Pero ese día hacía mucho viento y a los demás pollitos no les apeteció nada salir, así que de nuevo Rafael fue solo al campo con su regadera y echó agua sobre su grano de trigo con mucho amor.

Así fue pasando el tiempo y el granito de trigo germinó y comenzó a crecer una hierba. Rafael cuidaba todos los días de su planta, la regaba, la ayudaba a crecer hacia arriba sin torcerse, le hablaba y la mimaba, mientras los otros pollitos siempre le decían que no podían acompañarle porque hacía demasiado sol, o demasiado frío, o demasiado calor o demasiado viento.

Un día, Rafael recogió su pequeña cosecha de trigo, molió los granos y obtuvo una harina blanca y fina con la que hizo un riquísimo pan.

—¡Invítanos, Rafael! —gritaron todos los pollitos al oler el delicioso pan.

—Ya veo que hoy, a pesar del sol, del calor y del viento, es un buen día para comer pan —respondió Rafael.

El ratón Pepón

Los que siempre están soñando con los grandes tesoros de otros lugares no aprecian la riqueza que se guarda en su propia casa.

Pepón era un ratón aventurero. No se conformaba con la vida corriente de todos los ratones y aunque en aquel campo de cultivo tan grande donde vivía tenía la comida asegurada, pues aquello estaba siempre lleno de semillas, Pepón suspiraba con ver mundo, salir de su sembrado y quizá internarse en aquel inmenso palacio que se veía entre las espigas de trigo a lo lejos y que los ratones sabios y ancianos del lugar llamaban «granja».

Un día, Pepón se armó de valor, se despidió de los demás ratones y se marchó muy decidido. Cuando llegó a la granja, subió con mucho esfuerzo hasta una ventana que estaba abierta. Sus ojos miraron asombrados el interior de la casa:

¡Oooooohhhhh!

—exclamó.

¡Aquello sí que estaba lleno de comida! Y no eran simples semillas, sino todo tipo de delicias: había panes y bizcochos, tarros de mermelada, olorosos quesos y todo tipo de conservas. Pepón había dado por casualidad con la despensa de la granja. Ya iba a entrar tan contento en aquel paraíso, cuando de pronto un gato de largos bigotes y mirada torcida saltó hacia la ventana, haciéndole salir de allí a toda velocidad.

Mientras regresaba a su trigal, Pepón pensaba que en ningún lugar se come mejor y más tranquilo que en casa...

11

La granja del revés

Muchas veces para aprender a hacer algo solo necesitamos confiar
y que confíen en nosotros mismos.

En un lugar tan lejano que no puedo decirte dónde estaba, hubo una vez una granja del revés. ¿Que cómo era eso? Pues por ejemplo, en esa granja las gallinas daban leche y las vacas ponían huevos, las ovejas rebuznaban y los burros balaban y, por supuesto, el gato perseguía al perro y el granjero era un pato despistado que solo tenía un sueño en la vida: aprender a nadar.

—¡Nunca aprenderás a nadar! –se burlaban los otros animales–. ¿Es que no ves que los patos NO nadan? ¡Los patos saltan!

Nuestro pato se quedaba muy triste al escucharles y se preguntaba si sería verdad que los patos no pueden nadar. Y para averiguarlo, abandonó su granja y se puso a caminar por el mundo, buscando extraños patos que supieran nadar.

Caminando, caminando, el pato llegó a la selva, donde vio sorprendido que los elefantes sabían nadar (¡y eso que pesaban mucho!).

Caminando, caminando, el pato llegó al Polo, donde vio sorprendido que los pingüinos sabían nadar, pero no volar (¡y eso que tenían alas!).

Caminando, caminando, el pato llegó a un bosque en cuyo interior había un precioso estanque... ¡lleno de patos nadando!

—¿Cómo habéis aprendido a nadar? –preguntó nuestro pato.

—¿Aprendido? –se sorprendieron los patos del bosque–, nunca hemos aprendido, simplemente, nadie nos dijo nunca que no pudiéramos hacerlo...

La oveja rosa

Nunca se debe juzgar a nadie por su apariencia. Acepta a los que son diferentes, porque quizá tengan mejores cualidades que las tuyas.

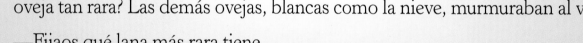

Hubo una vez una oveja rosa. Vivía en el rebaño, con todas las demás ovejas, pero siempre estaba sola, porque… ¿quién iba a charlar con aquella oveja tan rara? Las demás ovejas, blancas como la nieve, murmuraban al verla pasar:

—Fijaos qué lana más rara tiene…

—¡Qué poco elegante!

—¿Será contagioso?

—¡Mejor no acercarse!

Y así, la oveja rosa se aburría como una ostra comiendo hierba en un rincón del prado sin tener a nadie con quien jugar, y le daba por pensar que ser rosa debía de ser algo muy, muy malo.

Un día, llegó un comerciante de la ciudad y al ver la preciosa lana rosa de aquella oveja tan peculiar, le ofreció al pastor el triple de dinero de lo que le pagaba por la lana blanca y vulgar de las otras ovejas. Desde ese día, el pastor alimentaba mejor a la oveja rosa y la cuidaba más que a ninguna. Y entonces, las ovejas blancas se dieron cuenta de que aquella oveja a la que tanto habían despreciado era muy especial precisamente por ser diferente.

... Y cuando llegaron al rebaño la oveja amarilla, la oveja azul y la oveja roja, ya ninguna oveja blanca tuvo ganas de burlarse de ellas.

La lagartija envidiosa

La envidia puede cegarte de tal manera que acabes haciendo una verdadera tontería.

Un granjero tenía dos hijos: un niño que tenía por mascota a un perro y una niña, que era dueña del gato. La lagartija que vivía en la rendija de la pared observaba cómo los niños alimentaban a sus animales, los acariciaban y jugaban con ellos y pensaba con rabia:

—¡Qué suerte tienen con esa vida tan cómoda! No tienen que buscar comida y además reciben mimos y caricias...

Y así, un día, la lagartija envidiosa decidió que ella también quería ser la mascota de alguien. Y eligió como ama a la granjera. Mientras la granjera se estaba vistiendo, la lagartija entró en su habitación y, tal y como había visto hacer al perro y al gato, se acercó a su ama subiéndose por su brazo. Pero en lugar de acariciarla y jugar con ella, la granjera hizo algo insólito (en opinión de la lagartija): se puso a gritar y a sacudirse como si hubiera visto al mismo diablo.

—¡Socorro, socooooorrooooooo! –chillaba–. ¡Que alguien me quite de encima a este bichooooooo!

Ante tal escándalo, acudieron el granjero y sus hijos, que terminaron echando de allí a la lagartija ahuyentándola con todo aquello que encontraron: la almohada, la escoba y hasta un zapato.

La lagartija regresó a su rendija de la pared aliviada tras aquel incidente, aunque había aprendido una lección muy importante: la envidia siempre se castiga.

El caracol superhéroe

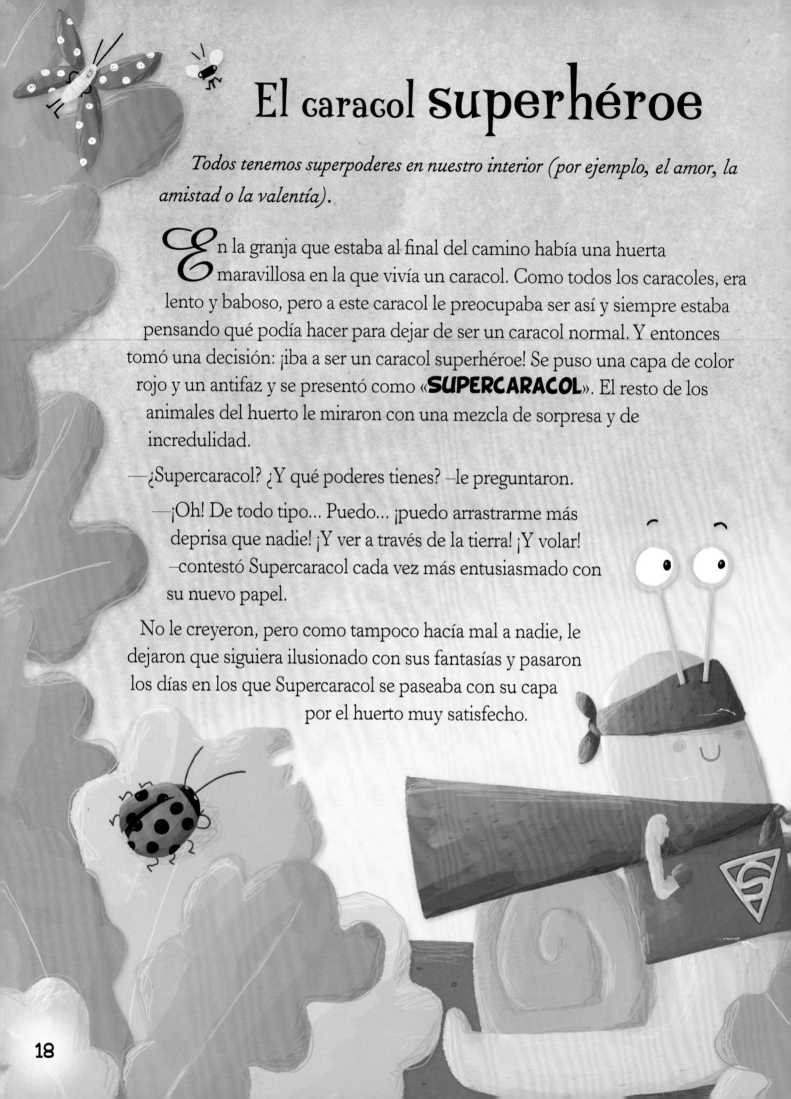

Todos tenemos superpoderes en nuestro interior (por ejemplo, el amor, la amistad o la valentía).

En la granja que estaba al final del camino había una huerta maravillosa en la que vivía un caracol. Como todos los caracoles, era lento y baboso, pero a este caracol le preocupaba ser así y siempre estaba pensando qué podía hacer para dejar de ser un caracol normal. Y entonces tomó una decisión: ¡iba a ser un caracol superhéroe! Se puso una capa de color rojo y un antifaz y se presentó como «**SUPERCARACOL**». El resto de los animales del huerto le miraron con una mezcla de sorpresa y de incredulidad.

—¿Supercaracol? ¿Y qué poderes tienes? –le preguntaron.

—¡Oh! De todo tipo... Puedo... ¡puedo arrastrarme más deprisa que nadie! ¡Y ver a través de la tierra! ¡Y volar! –contestó Supercaracol cada vez más entusiasmado con su nuevo papel.

No le creyeron, pero como tampoco hacía mal a nadie, le dejaron que siguiera ilusionado con sus fantasías y pasaron los días en los que Supercaracol se paseaba con su capa por el huerto muy satisfecho.

Una tarde, se desató un incendio en el huerto y todo se llenó de humo. Muchos animalitos gritaron desesperados porque como no se veía nada, no sabían qué dirección seguir para ponerse a salvo.

—¡Seguidme! —exclamó entonces Supercaracol con decisión.

Y gracias al rastro plateado que dejaba a su paso, todos los animales pudieron orientarse y escapar del incendio sin perderse entre la humareda.

Así que ya sabes: los caracoles tienen un superpoder de color plata. ¿Y tú? ¿Cuál es el tuyo?

Huevos cuadrados

La burla cruel solo tiene un camino: pedir perdón.

En el gallinero de la señora Flora vivían algunas gallinas, un gallo y muchísimos pollitos. Formaban una familia bastante unida y cada día, las gallinas se esforzaban en poner lustrosos huevos para que la señora Flora estuviera contenta. Pero un día, una gallinita joven y sin experiencia puso un huevo... ¡cuadrado!

La sorpresa de la señora Flora fue mayúscula, pero al ver lo compungida que estaba la gallinita, le dijo:

—No te preocupes, seguro que mañana te sale un huevo bien ovalado.

Pero al día siguiente, la gallinita puso un huevo aún más cuadrado, era un cubo perfecto (como un dado, pero sin los puntitos negros). Esta vez, la señora Flora no dijo nada y cuando se marchó, las otras gallinas se burlaron de aquella que solo era capaz de poner huevos cuadrados.

—¡Torpe, más que torpe! ¿Es que no ves que los huevos cuadrados no sirven para nada?

Ciertamente, eran unas gallinas con muy poca imaginación.

Al día siguiente la señora Flora vino acompañada de un caballero que llevaba sombrero. ¡Se la veía muy contenta! Acarició a la gallinita y recogió sus huevos cuadrados.

—Mire –le dijo al hombre–, fíjese qué maravilla... Estos huevos se pueden colocar en una caja cómodamente y... ¡no se rompen!

El hombre le entregó un buen fajo de billetes a cambio de aquellos huevos cuadrados. Y el gallinero se quedó un rato en silencio... hasta que a la más lista de las gallinas se le ocurrió pedir perdón.

21

La luciérnaga vergonzosa

Todos, hasta los más poderosos, pueden sentir vergüenza. Pero no todos tienen la grandeza de aprender a superarla.

Durante el verano, cuando caía la noche en la granja, todos los animales se apresuraban a buscar un buen sitio desde el que ver el espectáculo: el baile de las luciérnagas. Justo a medianoche, las luciérnagas encendían sus lamparitas y danzaban de una manera tan hermosa que los animales solo podían exclamar con admiración cosas como estas:

¡MUUUUUU!

¡BEEEEEEE!

¡COC COC COOOOOC!

Pero ocurría que una de las luciérnagas más jóvenes no quería salir a hacer la danza y nadie comprendía por qué. Una tarde, la oca sabia se acercó a la guarida de las luciérnagas para hablar con ella.

—¿Por qué no quieres salir a bailar con toda tu familia? –le preguntó.

—Es que... Es que... ¡Me da vergüenza! –le confesó la luciérnaga.

—Bueno –respondió la oca–, creo que eso es normal. Hasta la mismísima luna, que es tan bonita y tan brillante, hay días que tiene vergüenza y en lugar de mostrarse entera, muestra solo una pequeña parte de su rostro o se esconde del todo...

La luciérnaga pensó entonces que si eso le pasaba incluso a la luna, no tenía ninguna importancia que le ocurriera a ella. Y desde entonces, salió a bailar todas las noches. Y le seguía dando un poco de vergüenza, pero cuando escuchaba los aplausos de los demás animales, se le olvidaba.

El acertijo

El corazón es más sabio que la cabeza y puede averiguar cualquier cosa si está verdaderamente enamorado.

Había una vez un granjero que tenía una hija tan, pero tan hermosa, que se decía que no existía en toda la comarca una muchacha de mayor belleza. Un día, un príncipe aventurero llegó a la granja. Cuando vio a aquella muchacha tan hermosa, decidió que quería casarse con ella y así se lo dijo al granjero.

—¡Oh, señor! –dijo humildemente el granjero–, no creo que mi hija consienta en casarse con vos, porque hasta hoy le han hecho 247 propuestas de matrimonio y las ha rechazado todas.

—¡A mí no me rechazará! –exclamó el príncipe enamorado.

Y así se presentó ante la muchacha, que le dijo:

—Me casaré contigo si consigues averiguar este acertijo: «¿Qué es aquello que puede matarlo todo y a lo que solo mata el agua?».

El príncipe reflexionó mientras la hermosa granjera le miraba burlona, porque estaba convencida de que no adivinaría la respuesta (a fin de cuentas, 247 habían fracasado antes que él). Al cabo de unos minutos, el príncipe respondió:

—Aquello que lo mata todo y a quien solo puede matar el agua es el fuego.

La granjera se quedó pálida. ¡Sí, sin duda! ¡Aquella era la respuesta a su acertijo!

—¿Cómo lo has averiguado? –le preguntó al príncipe.

—Porque solo podía pensar en el fuego al sentir arder mi corazón cada vez que te miraba.

Y es que el amor verdadero siempre, siempre triunfa.

25

Las dos ovejitas

El poder de las palabras de ánimo y de la verdadera amistad es mucho más grande que una montaña.

Hubo una vez dos ovejitas que eran muy amigas. Una tarde, estaban pastando en un prado, cuando de pronto se desató una terrible tormenta. Empezó a llover con fuerza y los truenos iluminaban el cielo con tal furia, que todas las ovejas del rebaño corrieron asustadas en busca de un refugio. Sin mirar hacia dónde se dirigían, las dos ovejitas amigas subieron la montaña y se refugiaron en una pequeña cueva hasta que dejó de llover. Pero al salir de nuevo, se dieron cuenta de lo alto que habían subido y desde allí arriba se veía lo peligroso que era bajar por aquella montaña embarrada y resbaladiza.

—¡No bajéis! ¡Podríais haceros daño! –gritaron las ovejas del rebaño desde abajo.

—¡Pues yo creo que podemos bajar! –dijo una de las ovejitas a la otra.

—No sé... –contestó su amiga temerosa–, ¿y si nos caemos?

—Eso no pasará, yo te ayudaré y estoy segura de que tú puedes hacerlo.

Y poco a poco, despacito, apoyándose la una en la otra, las dos ovejitas bajaron la montaña. Entonces, las otras ovejas preguntaron a la ovejita más miedosa:

—¿Es que no escuchabais nuestros gritos para que no bajarais?

—Claro que sí, pero aún eran más fuertes las palabras de ánimo de mi amiga.

Y es que es más fácil subir o bajar cualquier montaña, por alta que sea, si te apoyas en la mano de un amigo.

El matrimonio
del señor Conejo

La astucia, la inteligencia y el valor pueden ayudarte a alcanzar tus sueños.

El señor Conejo llevaba enamorado de una linda conejita de orejas rosadas desde siempre. Y la conejita también estaba enamorada del señor Conejo, porque era tan apuesto, ingenioso y divertido... El problema estaba en que al papá de la conejita ningún pretendiente le parecía ideal para su hija.

—Aquel conejo que se case con mi hija –dijo–, deberá ser el más inteligente de cuantos hayan existido en la huerta de esta granja.

Y todos sabemos que los conejos tienen muchísimos hijos, de manera que era muy difícil llegar a ser el más listo de todos... Pero el señor Conejo no se dejó vencer por el desánimo. Al contrario, se presentó con un ramo de deliciosas zanahorias a pedir la mano de la conejita.

—Te la concederé –dijo papá conejo–, si consigues superar una prueba.

—¿Cuál es?

—Si esta noche consigues sacarme de mi cama sin tocarme, podrás casarte con ella.

Muchos se hubieran rendido ante una prueba tan difícil, pero no el señor Conejo. Se marchó y pasó toda la tarde buscando entre la tierra con un saco. Al caer la noche, se acercó a la cama de papá conejo y abrió su saco. ¡Estaba lleno de hormigas! Cuando papá conejo se acostó, las hormigas comenzaron a picarle tanto, que salió de un salto de su cama sin que nadie le tocara.

Con este sistema tan ingenioso consiguió el señor Conejo casarse con la conejita y fueron felices sin comer perdices (porque los conejos son vegetarianos).

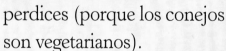

La granja
del fin del mundo

El miedo nos hace ver fantasmas donde no los hay...
Y la mejor receta para combatirlo es el humor.

Una mañana estaban los animales de la granja tomando el sol, cuando de pronto, una ráfaga de viento sacudió las ramas de los árboles y una hoja le cayó al ternerito sobre la cabeza. Muy asustado, se volvió a su mamá, la vaca, y le dijo:

—¡Mamá, el cielo se está cayendo!

Doña Vaca, tremendamente alarmada por las palabras de su retoño, comenzó a dar gritos:

—¡El cielo se está cayendo, el cielo se hunde!

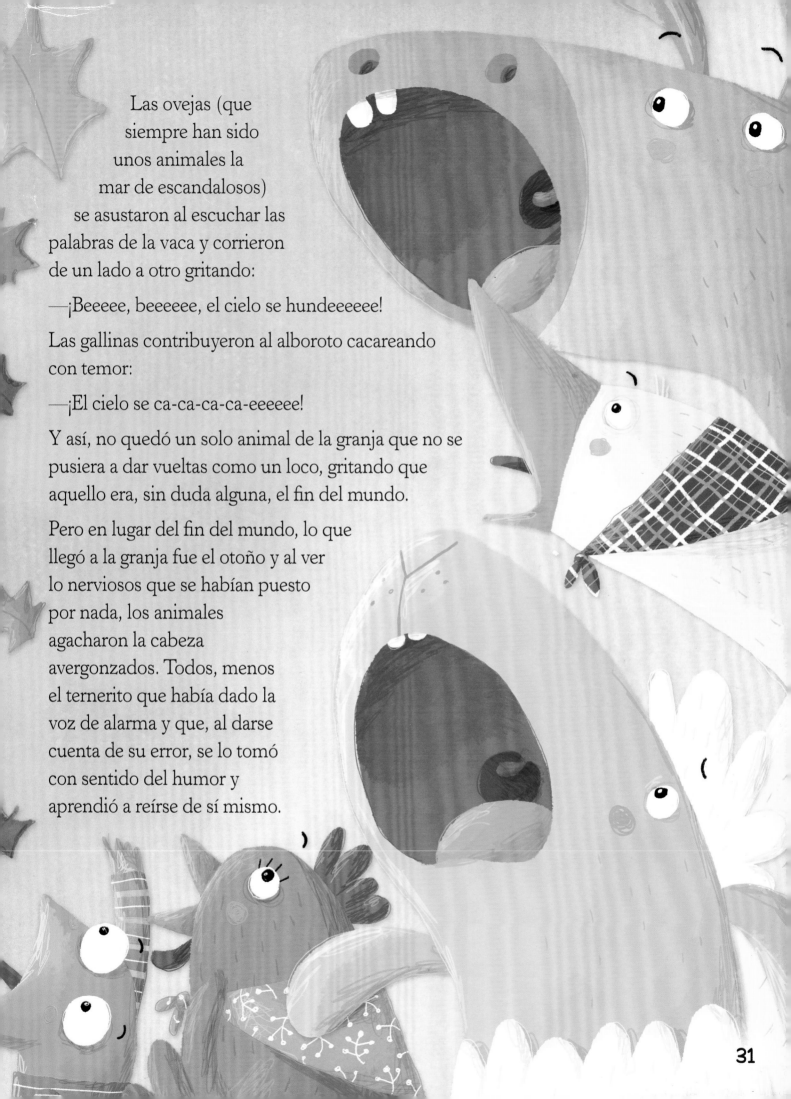

Las ovejas (que siempre han sido unos animales la mar de escandalosos) se asustaron al escuchar las palabras de la vaca y corrieron de un lado a otro gritando:

—¡Beeeee, beeeeee, el cielo se hundeeeeee!

Las gallinas contribuyeron al alboroto cacareando con temor:

—¡El cielo se ca-ca-ca-ca-eeeeee!

Y así, no quedó un solo animal de la granja que no se pusiera a dar vueltas como un loco, gritando que aquello era, sin duda alguna, el fin del mundo.

Pero en lugar del fin del mundo, lo que llegó a la granja fue el otoño y al ver lo nerviosos que se habían puesto por nada, los animales agacharon la cabeza avergonzados. Todos, menos el ternerito que había dado la voz de alarma y que, al darse cuenta de su error, se lo tomó con sentido del humor y aprendió a reírse de sí mismo.

La flauta mágica del pastor

No hay tesoro más valioso que el que se forja con paciencia, trabajo y perseverancia.

Érase que se era un palacio que se alzaba en mitad de una colina, en el que vivía un rey muy poderoso. Un día, le regalaron una preciosa flauta de oro diciéndole que era el instrumento más maravilloso de cuantos existían en el mundo. El rey, muy satisfecho con aquel regalo, comenzó a tocar la flauta, pero como no sabía ni una palabra de música, los sonidos que salían eran tan desagradables y desafinados que sus mismos súbditos se tapaban los oídos con las manos. Muy disgustado, el rey arrojó la flauta por una ventana y se olvidó de ella.

La flauta de oro bajó rodando la colina y fue a parar a los pies de un pastorcillo que apacentaba a su rebaño de cabritas.

Al muchacho la flauta le pareció muy bonita y comenzó a tocarla. Es cierto que al principio no sonaba nada bien, pero el pastorcillo, en lugar de rendirse o desesperarse por la impaciencia, continuó tocando todos los días hasta que, unos meses después, aprendió a tocarla tan bien, que primero toda la granja y después toda la aldea y por último, todos los habitantes del palacio, incluido el rey, se enteraron de su gran habilidad como músico.

Entonces, el rey invitó al pastor a tocar para él en su palacio y cuando escuchó la hermosa melodía que su flauta de oro era capaz de emitir, aprendió que la paciencia es una gran cualidad… ¡También para un rey!

El zorro bondadoso

Un zorro puede ser tan bondadoso como un cordero, solo necesita que le des una oportunidad.

Junto a la granja se extendía un prado que iba a dar al bosque y allí justo vivía un zorro muy original, porque era un zorro bueno e inocente. El pobrecillo llevaba toda su vida escuchando las burlas de los otros zorros que le decían cosas como esta:

—¿Pero cómo se te ocurre ser bueno? ¡Los zorros somos listos, traidores y malos! ¡Remalos! ¡Malísiiiiimos!

El zorrillo bondadoso se sentía solo e incomprendido y un día, escuchó a los otros zorros tramar un plan terrible y cruel: ¡querían entrar en el gallinero de la granja por la noche y comerse todas las gallinas! El zorro bondadoso decidió que tenía que impedirlo, así que corrió hasta la granja gritando:

—¡Cuidado, cuidado! ¡Esta noche los zorros atacarán el gallinero!

Pero las gallinas, acostumbradas a la maldad de los zorros, no le creyeron, sino que le lanzaron piedras para que se marchara, pensando que era una trampa. Sin embargo, el caballo quiso asegurarse de que aquella alarma no era real y, al caer la noche, se colocó junto a su amigo el burro en la puerta del gallinero. Cuando los zorros entraron, recibieron unas cuantas coces que les hicieron salir de allí llenos de magulladuras.

Desde entonces, el zorro bondadoso vive en la granja. Es un buen vigilante y tiene montones de amigos.

La granja pirata

Quien tiene un amigo imaginativo y con ganas de jugar, tiene el mayor de los tesoros que existen en este mundo.

Os parecerá una locura, pero así ocurrió. Un día, el perro pastor se despertó con ganas de ser pirata y decidió que iba a convertir la granja en un verdadero galeón. La proa de su barco sería el gallinero y la popa, el establo. Primero colocó en la parte más alta del tejado una bandera negra con una siniestra calavera. Después, pintó a todas las ovejas un parche en el ojo, colocó al gato una pata de palo, puso un pañuelo rojo en la cabeza a todos los pollitos y con semejante tripulación se hizo a la mar imaginariamente.

—¡Al abordaje!
—gritó.

Y todos los animales saltaron sobre la hierba muy contentos.

—¡Vamos, mis valientes! –volvió a gritar.

Y se los llevó a todos a una isla desierta que casualmente estaba en el mismo prado donde pastaban las vacas, en busca de un tesoro escondido.

Por fin, se hizo de noche y toda la tripulación se fue a dormir a sus camarotes. Al día siguiente, apenas salió el sol, los animales de la granja vieron que su barco pirata había desaparecido, pero a cambio, sobre el gallinero había un escudo con una preciosa torre almenada y el perro pastor, vestido de caballero medieval, les gritaba:

—¡Adelante! ¡A por el dragón de tres cabezas!

La fiesta de la amistad

Es mucho más importante dar que recibir. Lo que damos a nuestros amigos siempre nos alegra el corazón.

Todas las primaveras se celebraba en la granja la fiesta de la amistad. Era una ocasión maravillosa para demostrar el afecto por los amigos, así que todos, vacas, burros, ovejas y gallinas, estaban muy atareados buscando pequeños regalos para sus mejores amigos. Y entre ellos, la más atareada era la cabrita Rosa, porque tenía un carácter tan dulce y tierno, que quería ser amiga de todos, así que llevaba ya varios días preparando una gran cantidad de regalos: uno para la oca, otro para cada una de las cinco gallinas, otro para la vaca, otro para el caballo, otro para cada una de las doce ovejas, uno para el gallo, dieciséis para los pollitos, otro para el perro, otro para el gato... ¡Uf! Rosa no podía ni respirar con tantísimo trabajo...

Cuando por fin llegó el día, los animales de la granja comenzaron a intercambiarse sus regalos alegremente y Rosa deambuló por todas partes para repartir todos sus obsequios con gran alegría.

Cuando terminó, se dio cuenta de algo terrible: ¡nadie le había hecho un regalo a ella! Sintió ganas de llorar y se retiró muy triste a su camita de paja. Sin embargo, pronto se consoló, pensando que en realidad estaba muy contenta de haber repartido tanta felicidad...

Entonces, mientras dormía, uno a uno, los animales de la granja le fueron dejando flores hasta convertir su humilde camita en un hermoso jardín.

39

El patito y los ratones

El que se porta bien con los demás, suele recibir a cambio las mismas cosas buenas.

Era la primera vez que le habían dado permiso para ir a nadar solo, pero el patito tenía que cruzar el camino que llevaba desde la granja al estanque, así que se echó a andar muy temprano. Había caminado unos pasos, cuando se encontró a un ratoncillo que estaba regando unas florecillas.

—¡Por favor, por favor! –le dijo al patito–, ¡no me pises las flores!

Para no pisarlas, el patito se desvió un poco y siguió caminando. Entonces se encontró con otro ratoncito que estaba haciendo un colchón de hojas.

—¡Por favor, por favor! –le dijo al patito–, ¡no estropees mi colchón!

Para no deshacer el colchón, el patito se desvió otro poco y siguió caminando. Al poco rato, se encontró con otro ratoncito que estaba pintando las alas de una mariposa.

—¡Por favor, por favor! –le dijo al patito–, ¡no espantes a mi mariposa!

Por tercera vez, el patito se desvió un poco más y finalmente llegó al estanque, donde estuvo nadando muy a gusto.

Pero cuando iba a regresar a la granja, ya no sabía cuál era el camino de regreso, ya que se había tenido que desviar tantas veces, que ahora estaba perdido y se puso a llorar de miedo. Al escuchar sus lamentos, aparecieron los tres ratoncitos que, tan amablemente como había actuado él al no pisar las cosas que les gustaban, le llevaron de vuelta a casa por el camino más recto.

Una vaca con prejuicios

No juzgues a nadie por su apariencia, te sorprendería saber lo diferentes que son por dentro las personas a como tú pensabas.

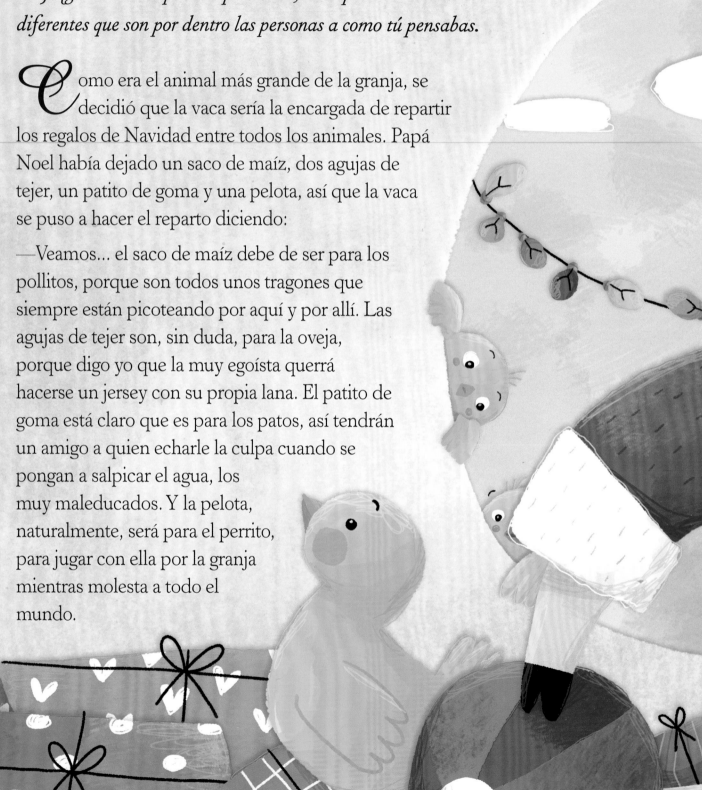

Como era el animal más grande de la granja, se decidió que la vaca sería la encargada de repartir los regalos de Navidad entre todos los animales. Papá Noel había dejado un saco de maíz, dos agujas de tejer, un patito de goma y una pelota, así que la vaca se puso a hacer el reparto diciendo:

—Veamos... el saco de maíz debe de ser para los pollitos, porque son todos unos tragones que siempre están picoteando por aquí y por allí. Las agujas de tejer son, sin duda, para la oveja, porque digo yo que la muy egoísta querrá hacerse un jersey con su propia lana. El patito de goma está claro que es para los patos, así tendrán un amigo a quien echarle la culpa cuando se pongan a salpicar el agua, los muy maleducados. Y la pelota, naturalmente, será para el perrito, para jugar con ella por la granja mientras molesta a todo el mundo.

Cada animal recibió su regalo con gran confusión; estaban sorprendidos de la mala opinión que tenía la vaca de ellos, pero además... ¡no era lo que habían pedido a Papá Noel en su carta!

El perrito había pedido un saco de maíz para hacerse un gran cojín sobre el que tumbarse a dormir la siesta tranquilamente. Los patos habían pedido unas agujas para tejerse unos patucos con los que no se les enfriarían las patas al nadar en el estanque en invierno. La oveja quería un patito de goma como mascota, para dormir siempre acompañada y no sentirse sola. Y los pollitos habían pedido una pelota, para jugar al fútbol en el prado todos juntos.

Al año siguiente, además, pidieron una nueva sonrisa para la vaca.

MAÍZ

El conejo llorón

El premio al esfuerzo y al trabajo es aprender cosas nuevas
que nos ayuden a hacernos mayores y responsables.

Aquel conejito había descubierto un truco muy bueno: le bastaba con dejar escapar de sus ojos unas lagrimitas y poner cara de pena para conseguir todo lo que quería. Iba al establo, lloraba un poquito, y las compasivas yeguas le daban sus manzanas. Iba al gallinero, lloraba otro poquito, y las caritativas gallinas le dejaban que se llevara las hojas frescas de lechuga. Iba al prado, lloraba un ratito, y las solidarias ovejas le entregaban los capullos de flores más jugosos. Y así, el conejito llorón se había acostumbrado a una vida muy fácil, hasta que un día llegó a la granja otro conejito.

El conejito nuevo no lloraba nunca; al contrario, le llamaban Sonrisitas, y estaba siempre encantado de colaborar con todos. Para conseguir una manzana, Sonrisitas llevó a las yeguas un cubo de agua. Las gallinas le dieron un poco de su lechuga como pago por haber barrido el patio y las ovejas le regalaron unas flores a cambio de que Sonrisitas les contara un cuento.

—¡Qué tonto eres! –le dijo el conejito llorón–. Yo consigo todo eso sin tener que hacer ningún esfuerzo...

—Es verdad –contestó Sonrisitas sin perder su sonrisa–, pero no sabes buscar agua, ni barrer, ni contar cuentos... ¡Ni tampoco todas las cosas que yo aprenderé mañana!

Y así, el conejito llorón comprendió que nunca había tenido la satisfacción del trabajo bien hecho.

El mejor final

Las cosas no son como empiezan,
sino como terminan.

¡Menudo alboroto se había organizado en la granja! Había que terminar el libro de cuentos de la granja, así que todos los animalitos estaban discutiendo cuál sería el mejor final.

—«Y fueron felices, y comieron perdices» es un clásico –dijo el caballo.

—¿Comer perdices? ¿Y por qué tenemos que poner un final tan terrorífico? –preguntaron indignadas la perdiz y su amiga la codorniz.

—Bueno, entonces, pongamos «Colorín colorado, este cuento se ha acabado» –propuso el burro.

—¡Qué aburrido! –exclamaron los pollitos.

—Mmmmm... ¿Y qué tal «Así termina este cuento, y como me lo contaron te lo cuento»? –propuso la vaca.

—Peroooo... ¡si nadie nos lo ha contado! –gritaron los conejos.

—¡Calma, calma!
–intervino el perro–. Veamos…
¿Qué es lo que queremos conseguir
con un buen final?

—¡Hacer el mejor libro! –dijo una oveja.

—¡Que nunca nos olviden! –respondió el gato.

—¡Y que vuelvan a leernos! –añadió la oca.

—Entonces –dijo el perro–, propongo
este final:

**«Y así se cuenta y se vuelve a contar
este cuento de nunca acabar».**

De manera que ya lo sabes: ¡empieza a
leer otra vez!

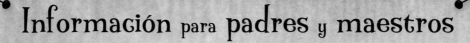

Información para padres y maestros

La granja es el entorno en el que habitan los animales más queridos por los niños. Gallinas, vacas, ovejas, conejos, patos y otros muchos son los protagonistas de los relatos de este libro, en los que diversión, consejos y entretenimiento acompañarán a los más pequeños de la casa en un paseo lleno de aventuras. Hemos querido ofrecer una serie de historias breves que fomentan la lectura y el contacto entre los padres y los hijos en ese momento mágico que se crea al leer un cuento.

Todos los relatos de este libro tratan, de una manera sencilla y dulce, de potenciar valores positivos en los niños. Cada cuento se centra en uno de ellos, aunque algunos tratan varios a la vez, como puede verse en la tabla: